飛段 ヒダン

秋道チョウジ あきみちチョウジ

綱手 ツナデ

角都 カクズ

山中いの やまなか

奈良シカマル なら

前巻までのあらすじ ぜんかん

　木ノ葉隠れの里、忍術学校の問題児だったナルトはサスケ、サクラと共に忍者の仲間入りを果たす。中忍選抜試験の最中、大蛇丸の"木ノ葉崩し"が始まるが、火影の命を代償に一旦終結、五代目火影に綱手が就任した。

　それから二年余。大蛇丸の力を求めたサスケは、止めるナルトを戦いでねじ伏せ里を去った…。

　修業を終えたナルトたちは、サスケと再会を果たす。だが、サスケの圧倒的な力の前に、取り逃がしてしまう。再びサスケを取り戻す力を得るために、修業を続けるナルト。そんな中、カカシとの二人組との戦闘により、アスマが戦死する。残されたシカマルたち第十班は!?

NARUTO
－ナルト－

巻ノ三十七

シカマルの戦い!!

もくじ

330：悲しき報せ…!!

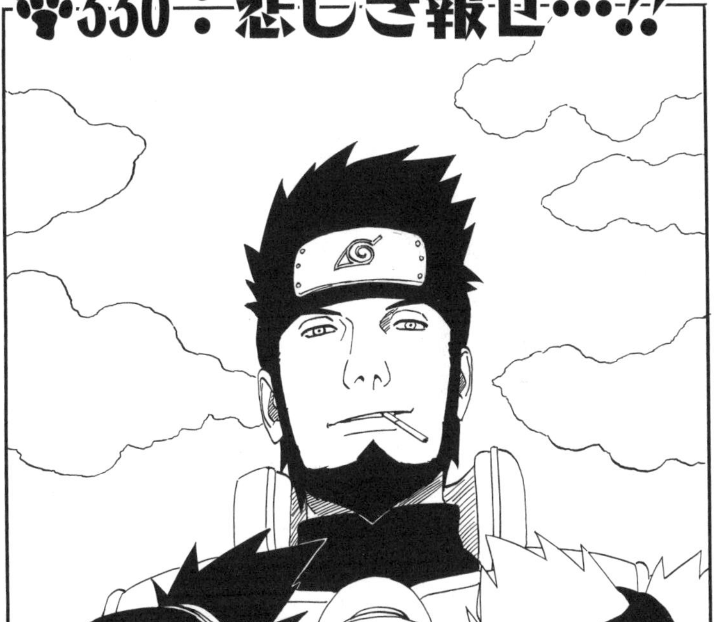

そうか…

あの…

紅さんには…

…紅には
私から…

いや…
オレが
伝えます

お前達は
関係者に
葬儀の連絡を
しろ

アスマ隊長からの
伝言もあるので…

なるほどね…
お前の思いつきって
そういう事だったのね

何かコツがつかめてきたってばよ！

そもそも
螺旋丸でさえ

チャクラ放出係と
形態変化の係の
二人組でやってた
…お前は

…その発想が
生まれるわけだ

そ！

三人目のオレでもって風の"性質変化"をやる係を作れれば良かったんだってばよ

……一人で左右を同時に見る事が出来ねーなら

右見る奴と左見る奴とに分身して

役割分担すりゃいいだけの話だったんだってばよ！

……

さっきのオレの影分身がヒントになったってわけね

……とは言ってもそりゃあナルトだからこその方法論だ…

チャクラと影分身のあるオレはともかく四代目であっても不可能なやり方だ

うたくコイツは…

さすがは意外性No.1の忍者だな…ナルト

何だかな…

？

オレは……
お前の事が
ものすごく
好きになって
きたぞ！

！ うわぁ！

いきなりキモい事
言うなってばよ！
コノヤロー！！

ビックリして
せっかくの術が
弾けちまった
ろー！！

イヤ…
そういう意味
じゃなくてね…

なんて言うか
その…

近寄る
なー！！

…………

何だろ…？

！？

連絡です

カカシ先輩！
いったん
修業を中止して
里の方へ!!

…………

いったい
何？

えーっ！

猿飛アスマさん
が…

…………

亡くなりました

…………

アスマ叔父ちゃん…

…アスマ……

シカマルはどこ？

家に寄ったらもう出かけたっておばちゃん言ってたのに…

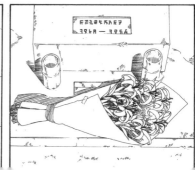

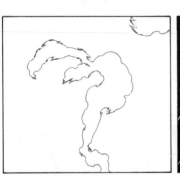

だ····

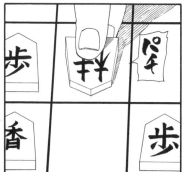

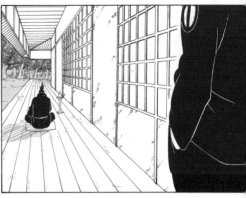
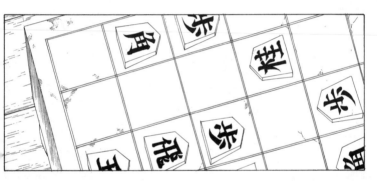

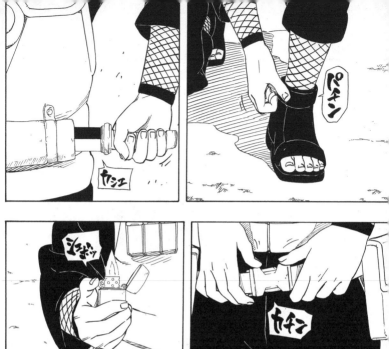

準備出来た？

行くよ
シカマル！

！

待て！

ドッ…

どこへ行く気だ？

第十班が行く…！！

五代目様

…………

任務命令は継続中っすよね…

…まだ十八の小隊は散らばって動いてる

オレらは新しく隊を編成して

これから任務に向かうとこっすよ

ザッ

敵が戻ると言ったポイントにはちゃんとした小隊を送る

身勝手な行動は許さん！

シカマル…

お前はこちらで再編成した小隊に組み込む

そしてしっかりとした作戦を立ててから行かせる

……

後で増援送ってくれればいいっすよ

いのとチョウジとオレの線ですでに作戦も立ててありますから

いい加減にしろ！！

小隊はフォーマンセル四人一組が基本だ！

隊長のいないお前らに…

……

アスマは死んだ

今のお前らは三人きりだ…

弔い合戦でもするつもりか！

お前らしくもない…

犬死にしたいのか！

アスマはオレ達と共にいる

オレ達だって
馬鹿じゃない
っスよ

死にに行く
つもりなんて
毛頭無いっス
から…

ただ…
何だ？

ただ…

…………

このまま
逃げて

筋を
通さねェまま
生きてくような
…

そういうめんどくせー生き方もしたくねーんすよ

成長しろ…
忍には死がついてまわる…

…………

時には受け入れ難い死もある

しかしそれを乗り越えねば未来は無い…

・・・・・・・・

この形見の
タバコ・・・

これふかしてっと
アスマ先生が
近くにいるような

オレらを
守ってくれてる
ような・・・
そんな感じが
するんすよ・・・

・・・・・・・・

・・・この戦いの
ケジメがつく
までは

このタバコとも
一緒だ・・・

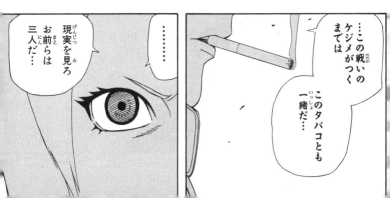

現実を見ろ
お前らは
三人だ・・・

・・・・・・・・

小隊は四人いればいいですよね

カカシ先生!!

…カカシ お前!

第十班には
オレが隊長として
同行します

それで
どうですかね?

お前…!

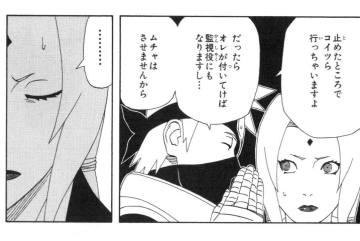

止めたところで
コイツら
行っちゃいますよ

だったら
オレが付いてけば
監視役にも
なりますし…

ムチャは
させませんから

…………

…………

…………

…………

分かった…
好きにしろ！

やったー！

…………

どうも

ナルトは
いいんすか？

カカシ先生

その右手…

なーに…
オレはもう
アイツにとっちゃ
用済みだ

ま！それに今は
別の隊長も
付いてるしな

それじゃ
アスマ班
行きますか！

フン…

ナルトの奴…。

感謝するぜ
カカシ先生！

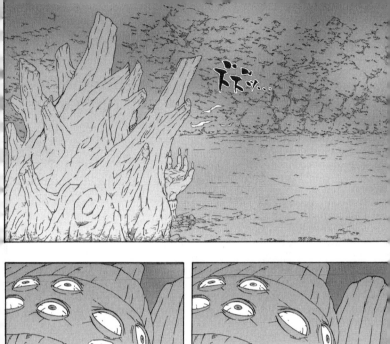

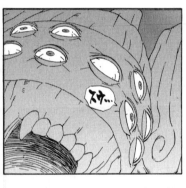

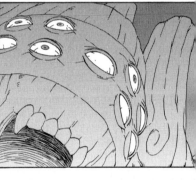

良し…

次は〝二尾〟だ

取調べ室

これからアンタの罪状認否を取る

それと…アンタが接触していたこの男…

フン…チクリはやらねェ

この男の事を話してもらう

・・・・・・・・・

なら話してもらうのは止めだ…

・・・・・

オレのやり方で吐かせてやる！

シカマル…
まず お前の
作戦を聞こう

カカシ先生が
入った事で
少し作戦を変更
したいんですけど

分かった…
説明してくれ

いくつかの
パターンに分けて
説明する

全員 しっかり
頭に叩き込んで
おいてくれよ

ナルトの修業は
どんな感じだ？

…そうか…

完成までにはもう少しかかるって言ってましたけど…

カカシ先生が言うには何だかコツはつかんだらしくて…

第十班にカカシ先生が入ったって事は

第十班と連係の取りやすい第七班…私達の小隊が増援に行くべきだと…

そういう事ですよね

…………

しかしナルト君の新術がいつ完成するのかも分かりませんし

別の小隊を向かわせた方が…

…察しがいいな…

さすがお前だ…

あと二十四時間でナルトの新術を完成させろ！

それが出来なければ別の小隊を増援に向かわせるとな！

サクラ…ヤマトに伝えろ

！

シズネ…間に合わなかった場合を考えて

スケジュールを見て第十班と連係の取れる小隊の編成案を至急で出せ！

ハイ！

これからだ…

さて……

…分かりました

NARUTO 145

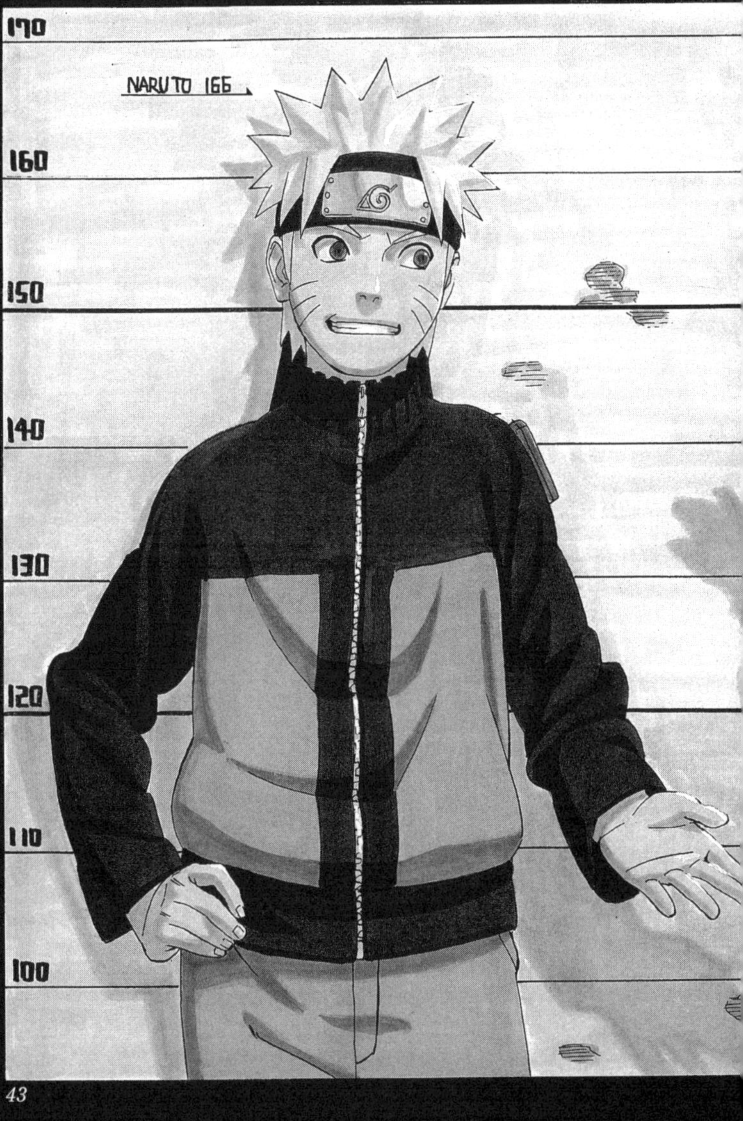

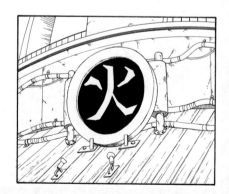

じゃ…隙を見て使って下さい

渡しておきます

入ったばかりのオレに合わせてすぐに作戦を再構築するとはね…大した奴だ

分かった

作戦を頭に入れたら

シミュレーションを頭の中で三回以上やっといてくれ

イメージトレーニングをやるやらないじゃ作戦成功率がまるで違うからな

うん！

オッケー！

これで"二尾"も封印した…

残りはあと三匹…

！

やっとか

木ノ葉へ行くぞ飛段

解散だ

ドォォ…

そいつに遭ったら気を付けることだな…うん

あそこにはうずまきナルトって"人柱力"がいる

角都　飛段
お前ら木ノ葉へ
行くんなら

一つ忠告しとくぜ
…うん

ってオイ！
コラ角都！

てめーはどっちの味方だ!?

首よりはマシだ…

オイオイオイ！
てめーと一緒にすんじゃねーよデイダラちゃんよォ！

角都に腕くっつけてもらった弱輩もんが！

チィ…

いいから
行くぞ

……

ブオウウン　　ブオウウン

六日もじっとしてたからな　オレは暴れまくってやるぜ

ムクッ

ドォォォォォ

おい角都　どこへ行く？

換金所はこっちだろー　が！

！

…お剣はバカか…

何だとォ!?

オレ達の目的は"人柱力"だ

わざわざ戻ると言った場所へ行って待ち伏せを食らう必要は無い

別のルートを通って木ノ葉へ向かう

………

んー…
そりゃそうだな
ホント

見付けた

心転身の術
…解！

見付けた！
奴らやっぱり
別ルートを
通ってる

ここから
二時の方向
十分でぶつかる

どうだ？

よし
行こう！

トス…

ザッ

あ…

飛段…

トス…

52

ボン

ボン

くっ…

ドッ!

ジャラララ

腕を硬化した怪我は無い！

角都！

それより影には気を付けておけ…！

ゴガッ

ゴオオオオ

シュウ…

ザザザザ

ギャアア……

ザザザザ

ガッ

！

ヒダン上だ！

ハッ！何度も同じ手を食らうかよ！

また
起爆札
！

飛段
かわせ！

くっ！

ガ　シ

！？

やられたな…

！？

起爆しない！？

58

影真似手裏剣の術……成功

……動かねェ……!

ヤロー

オレが投げたそいつはチャクラ刀だ

使用者のチャクラの性質を吸収して

使用者の術に基づく効果を発揮する

つまりオレは初めからアンタらの影を狙って撃ったのさ!

さしずめお前は"桂馬"だな——

力は弱いが駒を跳び越して進むことが出来る…このユニークな動きは

型にはまらない
お前の柔軟な思考に
似てる

なるほど…最初の起爆札付きのクナイは三度目のチャクラ刀を確実にかわして・よけさせる為の伏線…

この起爆札はフェイク…紙切れか…

ゴギャ…ン

こいつ…かなりの切れ者

それに…影でオレ達の注意を足元に引き付けたのは上からの攻撃をギリギリでかわさせギリギリで気付かせてオレ達の影を確実に射るため

・・・・・・・

NARUTO オリキャラ優秀作発表その①

良輝 シューマ　13歳

雨季 雫
- 男の子
- 中途半端が好き
- ボケキャラ
- 性格ハッキリしない
- とくちょう泣くとボクロが出る
- 幻術を使う

裁縫 ヌイ

（栃木県　もずくさん）
○巨乳が嫌いなキャラなんです。なんか父親の味があってリアルなキャラです。そういうのって。ちなみにサクラも貧乳です。サクラと仲良いかも。

（北海道　あかしさん）
○鍵を使ったおもしろいアイデアですね。鍵のデザインも一つ一つセンスよく気に入りました。

（奈良県　柏瑞穂さん）
○このキャラいい！トイレのスリッパをはきっぱなしで教室に帰ってくる奴、ボクが小学生の時にホントにいたもん。なんか思い出しちゃった。なので選びました。

（栃木県　内田智さん）
○つぎはぎだらけで荷だかかっこ悪いのに顔はクールでかっこいい。そのギャップがよかったです。

てめーまで捕まってピーすんだよ角都！

オイ！オイ！オイ！こりゃハッキリ言ってマズいんじゃねーのかァ!?

……

まずい？

…オレの計算じゃ

この手順でお前らを捕まえた時点で終わりだ

トトト……

トトッ…

うまくやったな…

…………

ヤロー…

今度は狙う順番を間違えないからよ

てめーの顔は覚えたぜ！

オレがどーなろうとぜってーぶっ殺す!!

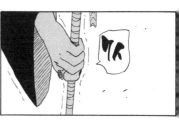

お前…

頭悪いだろ…

角都ッ…かわせェ!!

…!

ナンバー
333：相性…!!
あい　しょう

よっしゃー!!

!?

！？

どういう事？

！？

……

ドクン　ドクン

ド

ブリュリュ……

ズガオォォォ

起爆札で攻撃した時…

あの時か…

煙に紛れて右腕を地面に…

"終わり"だと
言ってはいても
オレの能力は
未知数

ならば
きちんと
距離をとって
オレの
次の手を
仕掛ける…

オレの連れと
違って賢い…

グキュルル

ドウン
ドウン

だが
戦闘中に
いくつもに
分析ばかり
していても

全てが
計算通りに
いくもんじゃ
ない

角都！
連れと違い…ってのは
どーゆー意味…

…

くっ！

！！

ワンッ

くそ！
体が…！

角都
何とかしろ！

今だ
チョウジ!!

肉弾針戦車!!

こ…
これほどとは…

パラ・・・
パラ・・・

………

…これで…
サスケに
追いつける

もうちょいで
完成だってば
よ!!

…え?

！

確かにね…

ただし…
サスケの使う
"火"の性質変化には
気をつけろ

ユウレツ…?

そろそろ
"五大性質変化"の
優劣関係について
説明しておいた方が
いいね…

だから
どういう事?

そう…
まぁ簡単に
言うとだ

五つの
"火""水""土"
"雷""風"の
性質変化は

それぞれ
優劣の関係を持ち
つながっている
のさ

図で説明
しよう

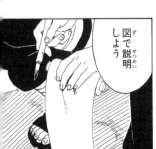

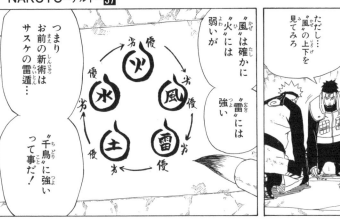

つまりお前の新術はサスケの雷遁…

"千鳥"に強いって事だ！

"風"は確かに"火"には弱いが

"雷"には強い

ただし…"風"の上下を見てみろ

ナルト…お前"土"の性質変化じゃなくて良かったな

……………

…オレってばサスケとの相性良かったんだな

…あ…"雷"に勝てるのは"風"だけだ

イヤそっちじゃなくて…

？

"火"を助けて
さらに大きな力に
出来るのは

"風"の力だけだ
って事だよ

ああ…
そうだな

……

やっぱり
ライドウ先輩が
言った通りか…

どういう事
なの？

…おそらく
体を硬化する
術だ

それが
あいつの
能力…

………

!!

よっしゃ…
そろそろ
反撃と
いこーぜ

角都
さっさと
この術を…

良く分析して
いる…

そうだ
オレには
どんな物理攻撃も
通じない

馬鹿な…
気配も無く
このオレの背後から

お前の
体を硬化
する術

さっき結んだ印
から見て
土遁の性質変化だ

オレの…
印のスピードを
見切ったダと…

それに…
これほどの雷遁を
そうか！

…お前が…

"土"は
"雷"に弱い…
相性が悪かったな

終わりだ

79

あいつを先にやっておかないと厄介だからな…

さすがカカシ先生!!

やっぱりスゴいカカシ先生は!これであと一人!

カカシ先生!!

プルプル

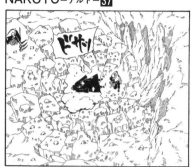

次はお前だ

ドキドキ…

心臓を一突きかよ！いきなりやられてんじゃねーよ！ったく…

チィ…

……………

……………

…………

……………!!

!? !?

よっしゃ！
さっさと
ケリつけよう
ゼェ!!

どういう事だ？
急所は
ハズしてないはず…

そのつもりだ

影真似も限界だ…

ピタ

！

やっと動けるぜ…

さあな…けどあいつら相手じゃ少々の事じゃ驚かなくなってきたぜ…

な…何なのアレ!?

何で死なないのアイツ!?

ゴキゴキ

さて…じゃ殺るか角都

くっ…

何だアレは？

ジャシン様
見てて下さいよォ！

オレ　本気
出すから！
マジ本気！

腸とか
引きずり出す
からァよォ！！

な…何アレ!?
すごく嫌な
チャクラの感じ

ヴォオオオオ!!

気を付けろ！
チョウジ

うん！

アッ……
グク…………

グラシ…

……………………

何だ？

オイ！
オイ！

やっぱいきなり
一匹死んでんじゃ
ねーかよ！

カッコつかねー
なァ
オイ！

……………………

ペチャン…

ここはオレがやる

飛段

少し下がってろ

ちょっ…待て！待て！

さっきからずっと

やられっぱなしで

イライラしてんだぜ

オレは…

…奴の体から出てきた面が

一つ斃れたって事は…

さっきの雷切で仕留めたのは

あの面ってワケか…

少しネタがありそうだな

フン

いつもので

いこうぜ

風遁・庭害!!

カカシせんせー！

自分の味方ごと…

そうか!!
不死身を利用して…!!!

来るぞ！チョウジ！

くっ！

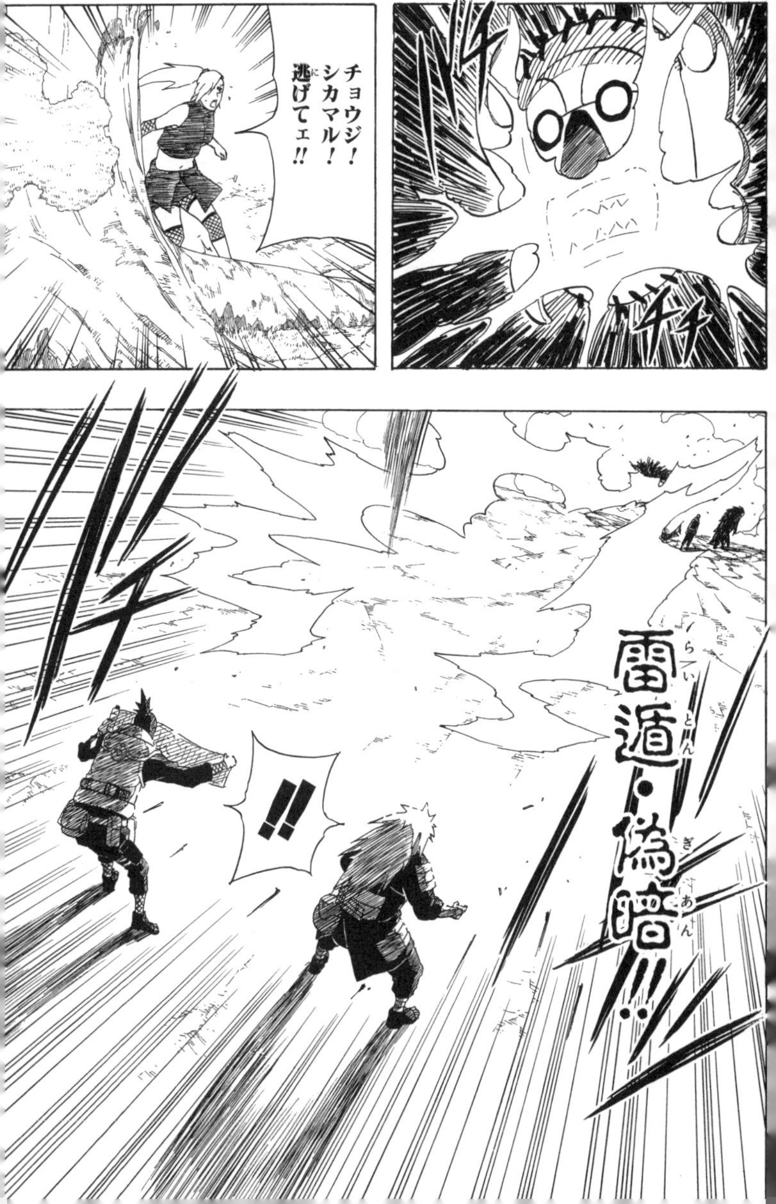
バチ
バチチ
チョウジ！
シカマル！
逃げてェ!!
バチ
!!
雷遁・偽暗!!

雷切!!

バリバリ

先生ッ!!

シュウウウ……

バチウウウ

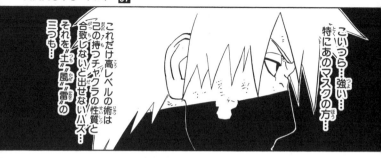

こいっら…強い…特にあのマスクの方…

これだけ高レベルの術は己の持つチャクラの性質と合致しないと出せないハズ…それを"土""風""雷"の三つも…

先生…大丈夫!?

ま…何とかな…

この段取りで殺せなかったのはお前が初めてだぜ…はたけ…カカシ

写輪眼で見切ったか…

なら次のはどうだ?

火遁・頭刻苦!!

ガパッ

（群馬県 萩原雅人さん）

○どんぐりをモチーフにしたのはうまい。
　頭のデザインもどんぐりっぽくてナイスです。

（千葉県 REASONさん）

○ラムネとはいいですね、ナイスなアイデアです。
　技もイメージしやすいし、これもボクもNARUTOで
　使いたいな。

（長野県 大町あけびさん）

○りんごをモチーフにしたデザインがすばらしいです。
　ほっぺがりんごのように赤いのがかわいい。

（岩手県 おんぷ♪さん）

○傘のアイデアがおもしろいですね。
　天候を自在にあやつるとは、かなり強い。

ナンバー
335：恐るべき秘密!!

うん！

大丈夫！

チョウジ！
いの！
大丈夫か!?

やるな…
やっぱ

あぁ…

カカシ先生
大丈夫!?

あいつら
上手く連係を
使ってくるわね…

…………

とは言っても
写輪眼を使ったまま
雷切を四発…

…グズグズは
してられないな

さっきの
カカシ先生の雷切
絶対当たってた
のに…
なんで
死なないの
アイツ!?

心臓を
潰した

本来なら
死んでる
はずだ

…だが
倒せたのは
奴の体から出てきた
バケモノの内の
一匹

さっき奴が
影真似手裏剣
を外して
逃げた時も
…そうだったが

そいつが
奴本体の代わりに
死んだと
考えられる…

…つまり…どういう事？

……………

本体から切り離した腕に心臓のようなものが付いていて

自律して行動した

グキュルル

ドクッ ドクッ

おそらく奴本体を含め体から出てきた

バケモノ…それぞれに心臓があり

その全ての心臓が奴のモノ

そんな事…

今は先生の雷切で一つ滅ったがな

奴は五つの心臓を持ってたって事だ

104

つまりあの人を完全にやっつけるには

あと四つの心臓を潰さなきゃならないって事?

ああ…

良く気付いたな

このそれぞれの心臓はかつて臓って奪い取った忍達のものだ

また補充はきく

お前らの心臓でな

なるほど他者の心臓を経絡系に宿っているチャクラ性質ごと取り込んだのか―

道理でいくつもの"性質変化"を…

オレら不死コンビをなめるなよ!

あいつら二人を二手に引き離して戦うのが得策っスね

シカマル…どう闘う？

…まず奴らの連係攻撃を止める

そして倒せる方を先に集中攻撃…

あと四回殺せば

あの飛段って奴を足留めする役が必要ってわけか…

私がやる

106

私が今一番チャクラを温存してるしそれに単純な戦闘じゃ役に立てないから…

心転身の術で…

ダメだ

心転身はそもそもオレの影真似で相手の動きを止めてから使う連係術だぞ…

ハズしたら数分間は自分の体に戻れない

…リスクが高すぎる

オレがやる

影真似で縛ってからここを移動する

……

だがどうやって縛るかだな…

どちらにしろ陽動は要るぞ

なら　その陽動役はボクがやる

それもダメだ

奴の攻撃を少しでも受け血を採られたら終わりなんだぞ

奴にこっちから近付いて攻撃すること自体ズレてる

さっきから何コソコソ話してる!?

そろそろいくぜ!

チョウジ お前はカカシ先生と一緒にマスクの奴をやる為にチャクラを温存しとけ

あいつはオレ一人で捕まえる

そして・あ・の・役はオレがやる…

分かった…

シカマルに任せよう

!?

ああ……

シカマル…コレを…

ドッ

スッ

お前の相手はオレだ

遅いぜ！

！

影で拾って投げたのか…！

空中なら身動きが取れない！

もらった！！

ガッ

コン

ケッ…甘いぜ

影にだけ注意してりゃこんな術はくだらねェ！

！

！

離れたとこからコソコソだけじゃねーぜ

影真似の術…成功

薬野人参（やくのにんじん）の下忍（げにん）

12歳
医療忍者を
目指して勉強中
薬を作るのが得意
新しい薬を作っては
チームメイトで試してみる
が、その薬
ものすっごい味がするので
チームメイトから
嫌われている

（千葉県 澤田綾子さん）
○色味からして頭はおそらくニンジンを装現しているのではないかと思われます。そういうところが気に入りました。違ったらゴメンネ。

闇影死黒（ヤミカゲシクロ）

・無口
・チョイ陰気な性格
・カマで切りつけてくる
・首をねらってくるので要注意
・夜行性
・いつもぶきみん笑ってる

（東京都 美術部の銀蔵さん）
○ゴスロリですね。NARUTOの世界観に合わなそうなところがよかったです。…最近NARUTOもマンネリだから。

桜依 はるか（20歳）
一特別上忍（医療忍者）一

・思いやりのある、優しい性格だが少々恥ずかしがりや。
・火遁・水遁・幻術が得意。
・千里眼ー「チャクラ」の動き、未来を見ることができる。
・備考ー桜依一族の生き残り
※最近、カカシのことが気になっているのが悩み（更に優しい）。

桜依一族の家紋
千里眼
医療忍具

（栃木県 カカシ大好き♥さん）
○カワイイです。なのにけっこう強い！気に入りました！

辛＆凶（二重人格）
sa:ki and k:yo

（神奈川県 末虎さん）
○二重人格キャラはけっこういますが、こいつはすごい！またこれだけの情報量をびっしり書いてあってキャラがリアルに想像できました。

…コノヤロー…

行け
シカマル!

ああ

こっちは
任せて!

頼んだよ!

336：
一転、窮地…!!
角都とオレを離す気か？
二人っきりで楽しい散歩と行こうぜ
…誰も付いて行かなくていいのか？
飛段を見くびりすぎだ
あのシカマルとか言う若造…高値の賞金首になっただろーに

・・・・・・・・

今日で死ぬぞ

お前達とオレとでは戦闘経験に差がありすぎる…

ド．

・・・・・・・・

だが お前らの判断は…正しかったな

オレは…強い…

・・・・・・・・

ズズズズ…

お前らの額当てを見ると

一番最初に戦った木ノ葉の忍を思い出す…

初代火影をな

いったい
何歳なの
こいつ…!?

え…!?

!?

いや…
そんなものは
この世に
存在しない

己の心臓が
寿命で止まる前に
他人の心臓を奪い
ストックし続ける事で

どうにか
生き長らえて
きただけだ

…本当の
不死か…

より強い忍の心臓を
生きたまま
抜き取っててな

……
!!

……!

カカシ…
お前へ
お前に減らされた分は
お前の心臓を
いただく

オレの
ストックしておける
心臓は己の含め
五つ

この影技　五分程度が限界だろ…しかも二人きり

そりゃこっちも好都合なんだよバカがァァ!!

ドドド

ズボッ

水遁・水陣壁!!

ズオオオ

ジュワワ

ゴ

"風"の性質変化が加わった"火"じゃ水遁だけでは消せないか…!!

…頼んだぞ

シカマル…

ケッ…
くだらねェ…

ジャシン様も
ガッカリだぜ

さて
角都の方も
さすがにもう
終わってんだろ

くっ…
ま…
まさか…

シカマルには
奴が血を
利用する能力がある
と分かってたからな

あらかじめ
血液用カプセルを
用意してたんだよ

じゃ…
隙を見て使って下さい
渡しておきます

その
まさかだ…

お前の血を
利用したのさ

バカな…
いつぜんな隙が…

オレの雷切で穴を開けた時に

一緒にお前の血をいただいたのさ

アスマが命と引き換えに残した情報を無駄にする訳がない

お前らこそシカマルをみくびりすぎだ

アイツが…

浅いか
…！

…てめェ…
…何で…生きてる
…？

お前の武器に付着している血はオレのじゃない…

オレはやられたフリをしてただけだ…

アンタの相方の血だ

!?

誰でもいい…チャンスがあれば角都って奴の血を抜き取る… このカプセルの中にな…

そしてそれを受け取ったオレが…

アンタをハメる役…

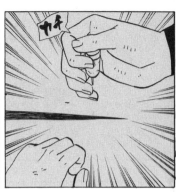

それが
こっちの
作戦（さくせん）
だったのさ

ド゛

ド゛ン

ヤロー…

ぐっ！

ド゛

ゆっくり！
すぐに医療忍術で
手当てします

カカシ先生！

手当ては
後だ！

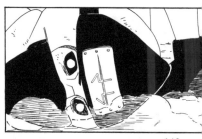

超張り手!!

！

へへっ！

いいぞ
チョウジ！

144

しまった！

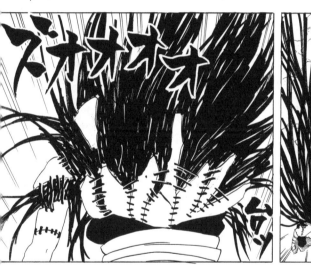

こう何度も
同じ術に
かかってりゃ…

バカでも
その術の特徴が
分かる…

！

ククク…

術に
さっきまでの力は
無いようだな…

動けるぜ

縛るたびに
術の強さと効果の
持続時間がお粗末に
なってきてるぜ

……

つまるところ…
お前の影術は

使えば使うほど
それに比例して
術全体の効力が
低下する
…

お前 そろそろ
チャクラも限界
なんじゃないのか？

えェ
オイ!?

グラッ…

ゲヘヘヘヘァ！！

くっ…

!?

遅おそくなって
済すまねーってばよ

美味つくる

ハラへってないっぺぇ？

父は里一の料理人であの一楽のラーメン店主のテウチとともに考えた人。

伸縮自在

味

背中

つくるの夢は父よりもウマイ料理を作ること。そんなつくるの腕前は九級と思いきや!? 料理の見た目は、たしかに九級。しかし、ドジなので塩と砂糖を間違えるなどと失敗が多いので味はいまいち。

口癖は「～っぺぇ」

（神奈川県 Punyuさん）
○ 背中のフォークとナイフのマークがダサすぎるのがイイ！わんぱくな感じがよく出てて、ドジな感じもデザインから読み取れます。

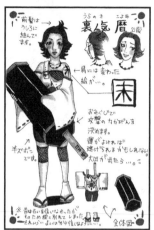

前髪はうしろに結んでます。

裏ㇰ気暦 21歳

骨には変わった絵が…

困

おみくじで攻撃のかたさを決めます。

運がよければ!! 逃げられるかもしれない。大凶が出たら…。

半犬が出てるです。

※昔は占い信じなかった。そのため娘と別れてしまった。どんどん占いを信じるようになった…。

全体図

（神奈川県 阿部夏実さん）
○ 占いを信じるようになった理由がさみしすぎる…。しかも中途半端に吉凶がおみくじで出てる…。なんか選んでしまいました（笑）

酒井 スイ 女の子

酒井の一族はお酒を飲んでチャクラを倍増させるのだが彼女の場合はお茶を飲むと倍増するという特殊な体らしい。変わり者として皆に見られている。

酔

いっぱいしようぜ。

※酒井の一族はお酒にとても強いんだがスイは笑いじょうごになってしまう。

←こん中はお茶

酒

（新潟県 黒艸さん）
○ 女の子が酒ビン持って歩きまわるのがなんとも、愛らしいです。デザインもかわいいしね。

レンレン

パンダ

アニャウニャ 鳴き声

◎ 口寄せ動物
◎ 小さい(昔の赤丸くらい)
◎ 得意技 アニャウニャアタック

（福岡県 藤井彩花さん）
○ むちゃくちゃすりすりしたくなるデザイン。鳴き声までもかわいい！得意技が気になる、むちゃかわいい技なんだろーなぁ…。

ナンバー338：人を呪わば…

いいタイミングだ

フ—！

ハァ—！…

増援助かったァ—…

サクラ…
…サイさん

ナルトも
…

こんなカッコ悪い先輩は初めて見ましたよ…

この敵…相当強いですね…

…また
おかしなのが
来たな…

すでに
ボロボロとは
…

シカマルは
？

……

クク…抜き取る心臓のバリエーションが増えただけだ…

こっからはオレがやるってばよ…

ナルトこっちは頼んだよ！

拙者達も行くぞ！

158

……いえ

……完成したのか…？

五割程度ですけど

けど……

……そうか

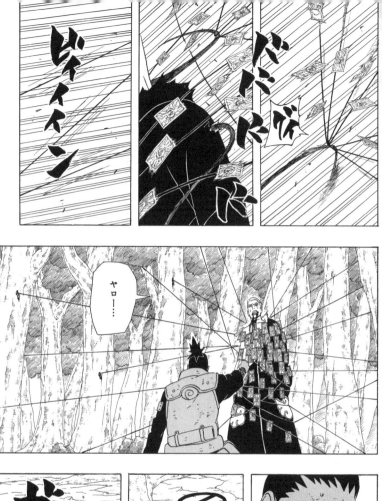

ヤロー…

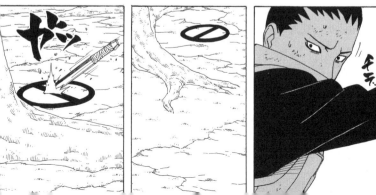

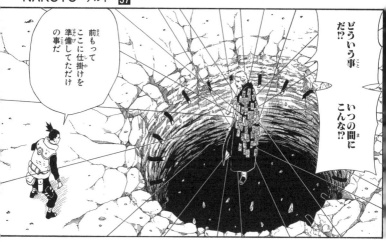

どういう事だ!?

いつの間にこんな!?

前もってここに仕掛けを準備してただけの事だ

人を呪わば穴二つ…

ドサ

だとすりゃあ…ここまでがこいつの計算…!

こいつ…がむしゃらにオレら二人を引き離したんじゃなく…オレをここに誘い込んだってのか？

てめーだけのうのうとはしゃいでられると思うな

お前はオレの師を呪い殺した

シュバッ

そいつが
てめーの墓穴だ

...クッ

ククク...

オレは
死ねェ...

必ずはいずり出て
てめーのノド元に
食らいつきに
行ってやる

体を
バラバラにされて
首一つになろうが

この森は
火の国でも
特別な
場所でな...

オレ達一族だけが
立ち入る事を
許されてる...
他には誰も来ない

！

ポンポン

オレ達一族が
ずっとお前を
見張っておく

ああ…

よくやったな
シカマル…

オレの火の意志…
お前に託したぞ

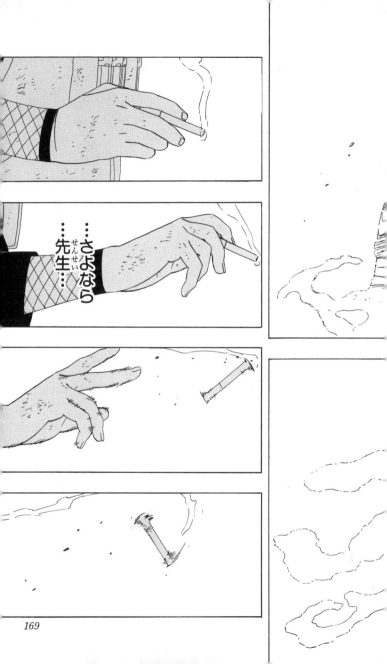

今回のNARUTOオリキャラ最優秀作は、
（大阪府 セイさん）に決定!!

セイさんには岸本が描いたイラストの複写に
サインを入れてプレゼントします。楽しみに
待っててね！
というわけで、引き続きオリキャラ募集中な
ので、どしどし送って下さいね。待ってます！

宛て先は
〒119—0163
東京都神田郵便局　私書箱66号
集英社ＪＣ
"ナルトオリキャラ係"まで！

※ただし送るのはハガキだけに限ります。
封書じゃダメだよ☺

八歳の少女

帯に挟んでる

職業
怨屋
（うらみや）
怨みを買う。

呪呪
（ジュジュ）

強力な
キャクラが
流れている

怨屋

怨みを持つ人が
怨みを込め、呪呪が
怨念の強さで
変わり、怨まれた人は 呪われる。

さらに怨念を
込めた呪呪で燃やす。
呪いの強さも
燃える。

▲岸本がイラスト化したのがこれだ!!

[呪呪]
（ジュジュ）

○あどけない顔
して職業が、む
ちゃくちゃこわ
い！ ギャップ
がよかったです。

☆なお、デザインはオリジナルに限ります。そしてキャラは必ず全体とキャラの名前を描いて下さい。
○応募されました受賞、イラスト等は、二宮前間保管された後と廃棄されます。保存しておきたい場合は、
あらかじめコピーをとってからご応募下さい。また、編集部に、名前や住所等を秘匿したい場合は、その旨を
明記して下さい。ご応募いただきました受賞の著作権は、集英社に帰属します。

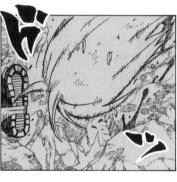

ナンバー
339: 新術…!!

オレを
こんなに
しやがって…

ヒャハハハ…

な…
コレ…
何てザマだ

ハハ…

………

てめーには必ず
ジャシン様の
バチが当たる!!

ジャシン教により
大いなる裁きが
お前にィィ——

そんなもん
怖かねーんだよ

オレとお前じゃ
信じてるモンが
違う

スー…

オレが信じてんのは"火の意志"だ

…だがてめーの神はそのくだらねェジャシン様でも何でもねェ

今はこのオレだ…

オレが裁きを下す!

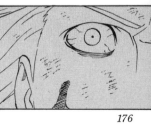

さっき言ったよなァ？

てめーにはジャシン教により裁きが下るってよォ

なァ!?

ゲハハハ!!!

その裁きを下すのはオレだァ!

てめーなんて歯だけで十分だ!

良く噛んでバラバラにしてやるぜェ!

多重影分身…

そうか…お前が九尾の人柱力か…

状況説明と
敵の能力を
教えて下さい

こいつには
分裂する能力がある
…

敵は"暁"二人…
一人はシカマルが
応戦してる

…で
もう一人が
目の前にいる

奴は初め
五つの心臓を
持っていた

今は
二つ減らして
あと三つだ

あの両肩の面が
本体から
抜け出して
分裂するんだが…

その面
一つ一つに
心臓があり
独立して行動する

もう二度
殺してるって
ことだ

奴はあと三度
殺さないと
倒れない

…どういう
事です？

どうりで先輩が手こずるわけだ

ナルトォ！

…………

それに…中距離タイプであらゆる性質変化を使う

ちゃんと聞いてたってばよ！

一人で突っ込んでもダメだってばよ！

ナルトォ！

それでは勝てんぞ

影分身だけか？

…あの攻撃スピードと戦闘スタイルからして

陽動には最低でも影分身が三人要るってばよ…

まず影分身の経験値をオリジナルの中に情報として蓄積…

それに基づいたシミュレーションの作成

影分身の使い方を覚えたな…

ボ ボ ボ ン

スゴい
高音…

な…何て
チャクラ
だ…

何なの…
アレ…？

何とか
ここまでは
形に
したってば
よ…

…

よし…
どれほどのもんか
オレの螺旋丸と
ぶつけ合う

用意しろ

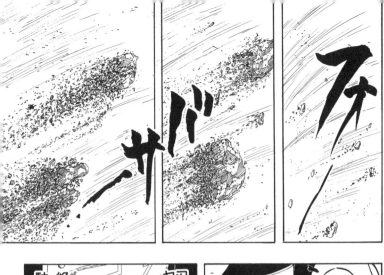

アレを食らったら…ヤバい…絶対に駄目だ

何だ…あの術は…！？

37 シカマルの戦い!!(完)

■ジャンプ・コミックス

NARUTO -ナルト-

37 シカマルの戦い!!

| 2007年 4 月 9 日 | 第 1 刷発行 |
| 2013年10月12日 | 第31刷発行 |

著者　岸本斉史

©Masashi Kishimoto　2007

編集　　株式会社　ホーム社
東京都千代田区神田神保町 3 丁目29番　共同ビル
〒101-0051
　　　　　　電話　東京　03(5211)2651

発行人　　鈴木晴彦

発行所　　株式会社　集英社
東京都千代田区一ツ橋 2 丁目 5 番10号
〒101-8050
　　　　　　　03(3230)6233(編集部)
　　電話　東京　03(3230)6191(販売部)
　　　　　　　03(3230)6076(読者係)
Printed in Japan

印刷所　　共同印刷株式会社

ISBN978-4-08-874338-7　C9979